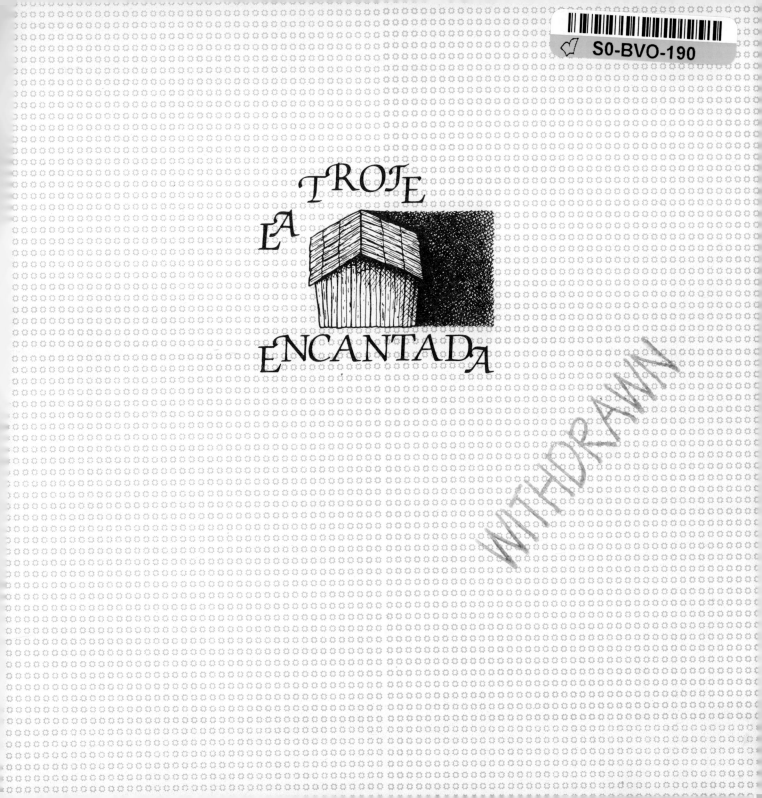

LA TROJE ENCANTADA

PHÁNSPERATA

Leyenda purépecha

Phánsperata

Leyenda purépecha

Versión
de
Magali Martínez Gamba

Ilustraciones
de
Rossana Bohórquez

© Derechos Reservados:

CIDCLI, S.C.
Centro de Información y Desarrollo de la
Comunicación y la Literatura Infantiles
Av. México 145, PH 601, Col. del Carmen,
Coyoacán, 04100 México, D.F.

Segunda edición, octubre de 1989

ISBN: 968-494-030-0

Impreso en México/*Printed in Mexico*

Nadie, en Guapácuaro, se explicaba por qué el dios Phánsperata, que recorría el mundo encendiendo los corazones, había olvidado tocar con su fuego a la hermosa Ireri.

Y el que más se dolía de ello, era el gallardo Pámpzpeti, cacique de Guapácuaro, que comandaba a los últimos guerreros purépecha que habían defendido contra los españoles la independencia de Michoacán, durante el gobierno del rey Tacamba.

Su terrible mirada infundía respeto a sus hombres y miedo en el corazón de sus enemigos. Pero Pámpzpeti sabía que sólo despertaba agradecimiento en los oscuros ojos de Ireri, que sostenían su vista con una expresión tan fría y apacible como una estrella que brillara en las noches de invierno.

Desde que Tacamba había desaparecido entre los jardines de Uruapan para seguir a su amada Inchátiro, tocado por el aliento de Phánsperata, el dios del amor, el pueblo había reconocido a su joven hermana Ireri como reina sin trono, y todos veneraban su dulce fuerza que solía inspirarles, a la vez, reverencia y amor.

No lejos de Tacámbaro, hacia el Sur, cerca de Guapácuaro, estaba el lago, asentado en una colina y rodeado de espesos bosques. En ese lugar crecían los árboles de cinco hojas —encendidas por el carmín—, los *turás*, de pistilos en forma de cabellera, y el *candá tzitzique*, que impregnaba el aire con su perfume. El suelo se cubría de una inmensa variedad de lirios y, de los árboles, colgaban millares de orquídeas.

Allí, en Chupio, vivía Ireri; era esbelta como los pinos y tenía el andar propio de una paloma de la selva.

Usaba sobre sus cabellos una pluma de faisán y, al verla, quienes ignoraban su nombre, solían confundirla con un hada del lago.

Pámpzpeti le había jurado vasallaje, manifestando a Ireri que su ejército se encontraba presto a defenderla de cualquier peligro y, en especial, del encomendero de Tacámbaro y Turicato, Don Cristóbal de Oñate, que

8

juzgaba como propias a las personas que consideraba bajo su encargo.

El guerrero purépecha iba con frecuencia a Chupio a recibir órdenes de su soberana, mas todos sabían que el joven cacique, cuyo nombre significa en purépecha "el amoroso", anhelaba recibir, aunque fuese, una mirada afectuosa de Ireri.

Lo cierto es que, cada vez, Pámpzpeti regresaba a su albergue suspirando y despidiendo rayos por sus ojos ásperos y terribles.

Mientras tanto, Don Cristóbal de Oñate no perdía el tiempo para dominar a los habitantes de las regiones que el Rey español le había encomendado.

Don Cristóbal de Oñate tenía tanto de soldado como de político, e iba sometiendo de prisa a los indígenas, ya fuera por la fuerza o utilizando cualquier estrategia a su alcance.

Por ello, comprendiendo las ventajas que podía sacar de su alianza con los frailes, a quienes los indios amaban, se empeñó en que los agustinos fundaran un convento en Tacámbaro.

Desde allí, los misioneros empezaron a predicar el Evangelio y su mensaje floreció con la misma fuerza que las orquídeas, las *zirandas* y las *cahuáricas*, propias de las

tierras michoacanas.

Don Cristóbal veía con placer que, en lo que a él se refería, la guerra se iba convirtiendo en una quieta y pacífica encomienda.

Ignoraba entonces los sucesos que iban a sacudirlo en poco tiempo.

Fray Francisco de Villafuerte, custodio del convento de Tacámbaro, se enteró pronto de la existencia de Ireri y envió varios mensajeros a llamarla, para tener la satisfacción de catequizar a la reina.

Sin embargo, todos regresaban trayendo una negativa de parte de Ireri.

El padre Villafuerte, indignado contra la joven, decidió valerse del encomendero para obligarla a presentarse en el convento.

Sin hacerse de rogar, Don Cristóbal de Oñate, cubierto con una brillante armadura y en lomos del más brioso de sus caballos, partió hacia Chupio, dispuesto a traer consigo a esa mujer a quien llamaban reina.

Para su propia sorpresa, cuando llegó frente a la joven sintió que un rayo electrizaba todo su cuerpo y al instante deseó el amor de Ireri.

La reina le dirigió una mirada serena, pero tan fría como

las ondas del lago en una madrugada de hielo.

Don Cristóbal, que se sabía apuesto, y acostumbrado a que las mujeres lo contemplaran con amor, se sintió herido por el desdén de la joven.

Disimuló sus sentimientos, sin embargo, y cumplió su misión, solicitándole a Ireri que fuera a Tacámbaro y se hiciera cristiana.

A todas sus palabras respondió ella con una negativa.

El encomendero no estaba dispuesto a permitir desaires de aquella muchacha.

—Como todos los indígenas, estás a mi cuidado y debes obedecerme —le dijo, mirándola desde lo alto de su cabalgadura.

Los labios de la reina permanecieron cerrados y esto acabó de enfurecer a Oñate.

—Te advierto —la amenazó antes de marcharse— que tienes tres días para ir a Tacámbaro y presentarte en mi encomienda. Si no cumples mis órdenes, yo mismo vendré para llevarte por la fuerza.

Oculto en el bosque, Pámpzpeti fue testigo de la escena. Sus ojos relampaguearon de odio contra el español, pero no se arrojó sobre él, ni dijo una sola palabra, sino que huyó hacia el bosque como perseguido por una manada de tigres.

Conteniendo a duras penas las lágrimas, Ireri experimentó de pronto toda su soledad y desconsuelo. ¿Quién habría de libertarla de aquel hombre que la había mirado como si se tratase de una propiedad suya y que la obligaba a abandonar su reino?

Para su mayor desesperación, ni siquiera Pámpzpeti acudió a Chupio durante los tres días siguientes a las amenazas de Oñate.

Transcurrido el plazo, el encomendero se dirigió de nuevo hacia el lago acompañado de sus hombres y convencido de tener segura a su presa.

—Sígueme —le ordenó con altanería a Ireri cuando la tuvo enfrente.

Ella permaneció sin moverse y lo miró con ojos más severos y fríos que nunca.

En el momento en que Oñate extendió sus brazos para levantarla, se escuchó un terrible alarido: cien guerreros purépecha, blandiendo sus armas, se arrojaron contra los españoles.

Aunque tomados por sorpresa, Oñate y sus hombres sacaron sus espadas para defenderse de la furia de los purépecha.

Ireri veía saltar chispas de las armas y de los ojos de los

combatientes, y varios hombres habían muerto cuando Don Cristóbal de Oñate cayó de su cabalgadura, herido por una flecha.

Sus soldados lo levantaron y huyeron a escape como negros fantasmas por la colina.

A poco, el silencio pareció cerrarse sobre el bosque, oyéndose tan sólo el canto triste del guaco, oculto en la espesura.

En Tacámbaro, el nombre de Pámpzpeti corrió de boca en boca. Y muchos desearon que al fin su soberana correspondiera al amor del héroe.

Unicamente Pámpzpeti sabía que la mirada que le dirigió Ireri cuando se supo a salvo, sólo contenía gratitud, y que después de verla a los ojos profundamente, él se había alejado triste y silencioso, seguido por sus guerreros, a través del bosque.

No mucho después, en Tacámbaro, mientras empezaba a curarse de sus heridas, Oñate fraguaba su venganza, jurándose a sí mismo que, por convicción o por la fuerza, Ireri se haría cristiana, pues con ello podría contarla entre los indios a su cargo y ella se vería obligada a rendirle tributo.

Fue entonces cuando llegó a aquellas tierras Fray Juan

Bautista, que no hacía mucho había arribado a México, desde España, y que, en poco tiempo, había adquirido fama de santo y defensor de los indios.

Enterado de los sucesos, se prometió conquistar a Ireri para el cielo y hacer cristiano al feroz y valiente Pámpzpeti, no por medio de la fuerza, sino bajo el poder dulce y humilde de sus palabras.

Sólo una preocupación ensombrecía las piadosas intenciones de Fray Juan. ¿Cómo podría salvar a la vez el alma de Ireri y protegerla de Oñate?

No muy lejos de allí, en su colina, la joven reina, ajena a la llegada de Fray Juan Bautista, permanecía pensativa: desde el día en que el capitán Oñate había visto burlados sus intentos, acudía con frecuencia a su mente el recuerdo de Pámpzpeti.

"¿Será él la luz que busco en el fondo de mi corazón?", se preguntaba Ireri.

Buscaba aún la respuesta cuando vio subir por la colina a un hombre de semblante demacrado. Era Fray Juan.

Cuando el misionero clavó en Ireri la llama misteriosa de sus pupilas y comenzó a hablarle, la joven olvidó a Pámpzpeti, se puso de pie y dijo al sacerdote:

—Guíame y te seguiré a donde quieras.

Días después, las campanas de Tacámbaro anunciaban que la reina iba a recibir el bautismo y a tomar el velo de las *guanánchecha*, consagrándose así a la Madre de Dios.

Fray Juan, por su parte, estaba seguro que tal dignidad bastaría para detener a Oñate, sin saber que éste se burlaba diciendo a todo aquel que quisiera escucharle:

—En cuanto sea cristiana, reclamaré a Ireri como cosa que me pertenece.

Ignorando lo que se cernía contra ella, Ireri esperaba dichosa el momento de recibir la gracia del bautismo y de comprometer al servicio divino la fuerza del amor que recién se había encendido en su alma.

Sin embargo, era otro el destino que la aguardaba. Poco antes del amanecer, silenciosamente, un grupo de guerreros purépecha apareció en la plaza y se dirigió a la *guatáppera*.

El hombre que los comandaba entró en el aposento y buscó a Ireri.

Al verlo, ella cayó desmayada, y Pámpzpeti la tomó en sus brazos y salió del sagrado recinto.

Al enterarse de la noticia, Don Cristóbal de Oñate prorrumpió en blasfemias, se mesó los cabellos y, sin estar curado totalmente de sus heridas, convocó a sus soldados al son de trompetas y clarines y salió a combatir a su enemigo.

Recorrió bosques y cerros, barrancas y grutas, mas no encontró un solo ser humano en la intrincada selva. Esta permanecía silenciosa, y sólo el canto irónico del guaco acompañaba su búsqueda.

No se volvió a tener noticias de Ireri, y Fray Juan Bautista solía lamentarse de no haber podido ganar para el cielo el alma de la joven reina.

Pasados los años, llegó corriendo al convento de Huetamo —donde para entonces residía Fray Juan—, un hombre que le solicitó confesión para un enfermo que se estaba muriendo en Zirándaro.

Los habitantes del pueblo, veneraban al fraile por el amor que había demostrado a los indios de aquellas tierras, y le pidieron que no acudiera al llamado, pues recelaban algún peligro.

—Es de noche, ha llovido mucho y el río está crecido —le advirtieron.

El sacerdote, sin embargo, se dispuso a marcharse.

—No encontrarás barca —trataron de detenerlo.

Pero, al llegar al río, el santo encontró un puente y con el crucifijo en la mano caminó sobre él, seguido del hombre que debía guiarlo hacia el moribundo.

Cuando llegaron a la otra orilla, el puente se hundió en el

agua y los caimanes que los formaban desaparecieron en el fondo del río.

Sin detenerse, el misionero llegó al fin hasta una hermosa cabaña rodeada de cactus y, tendido sobre una *canciri*, es decir, sobre una cama de caoba, encontró al hombre que esperaba su consuelo. El moribundo levantó hacia él una mirada que no había perdido su vehemencia.

En la cabecera del lecho, una mujer —aún joven y bella— lloraba sin apartar del enfermo unos ojos que irradiaban amor.

Sorprendido, Fray Juan Bautista se arrodilló y elevó una oración de gracias. Había reconocido a Pámpzpeti y a Ireri.

Sin dudar, se puso de pie, se dirigió hacia el lecho, vertió sobre Pámpzpeti e Ireri las aguas del bautismo y, ante la multitud que se había congregado para acompañar las últimas horas del guerrero, los unió en matrimonio.

Cuando Fray Juan quedó solo con Pámpzpeti, Ireri, al pie de una *ziranda*, escuchó una música divina y fijó sus ojos en el cielo: en medio de las cuatro estrellas de la constelación del Sur, le pareció ver la imagen de Phánsperata, iluminando al mundo con su antorcha inextinguible y abriendo, para ella y para Pámpzpeti, las puertas de la eternidad.

23

PHANSPERATA

•

Esta obra se realizó
en Ediciones Armella, S. A. de C.V.
Copilco 339, Col. Copilco Universidad
C.P. 04360 Tels.: 658-6465 y 658-7132
en el mes de octubre de 1989.
La edición consta de 4,000 ejemplares
y estuvo al cuidado de Roxana Peirce.